ANIFEILIAID ANWES

Mochyn Cwta

Honor Head

Ffotograffau gan
Jane Burton

Addasiad
Elin Meek

GOMER

Cyhoeddwyd gyntaf ym Mhrydain yn 2000 gan
Belitha Press, argraffnod Chrysalis Books plc,
The Chrysalis Building, Bramley Road,
Llundain W10 6SP

ⓗ Belitha Press Ltd 2000 ©
ⓗ Testun gwreiddiol: Honor Head 2000 ©
ⓗ Ffotograffau: Jane Burton a Belitha Press 2000 ©

Teitl gwreiddiol: *Guinea Pig (My Pet)*
Golygydd: Claire Edwards
Dylunydd: Rosamund Saunders
Arlunydd: Pauline Bayne
Ymgynghorydd: Frazer Swift

ⓗ Addasiad Cymraeg: Elin Meek ac ACCAC
    2003 ©
ISBN 1 84323 268 5

Cyhoeddwyd gan Wasg Gomer, Llandysul,
Ceredigion SA44 4QL, gyda chefnogaeth
Awdurdod Cymwysterau, Cwricwlwm
ac Asesu Cymru

Dymuna'r cyhoeddwyr gydnabod cymorth
Adran Olygyddol Cyngor Llyfrau Cymru,
Cathryn Clement a Heulwen Harris

Argraffwyd yn China

Rhoddion caredig oddi wrth gwmni *Pets at Home*
yw'r nwyddau sydd i'w gweld yn y llyfr hwn.

Cynnwys

Fy mochyn cwta

clust

côt

crafangau

wisgers

Mae'n hwyl bod yn berchen ar dy fochyn cwta dy hun.

Mae moch cwta'n anifeiliaid anwes da ac maen nhw'n hwyl, ond rhaid gofalu'n dda amdanyn nhw.

Mae'n bosib y bydd dy fochyn cwta gyda ti am amser hir. Mae angen ei fwydo bob dydd a chadw ei gartref yn lân. Hefyd rhaid iti ei drin yn dyner gan ei fod yn hawdd i'w ddychryn.

Dylai plant ifanc sydd ag anifeiliaid anwes gael eu goruchwylio bob amser gan oedolyn. Am ragor o nodiadau, gweler tudalen 32.

Mae sawl gwahanol fath o foch cwta i'w cael.

Mae blew byr, llyfn gan rai moch cwta, a blew tonnog neu hir gan eraill.

Mae hi'n fwy anodd gofalu am foch cwta â blew hir. Mae angen eu brwsio'n gyson.

Mae moch cwta'n
hoffi cwmni a
chwarae â'i gilydd.

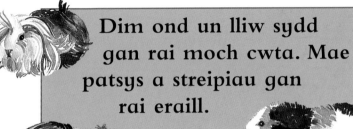

Dim ond un lliw sydd
gan rai moch cwta. Mae
patsys a streipiau gan
rai eraill.

Mae angen llonydd a thawelwch ar fochyn cwta beichiog.

Pan fydd mochyn cwta yn feichiog, bydd hi'n bwyta mwy. Bydd angen mwy o ddŵr i'w yfed arni hefyd.

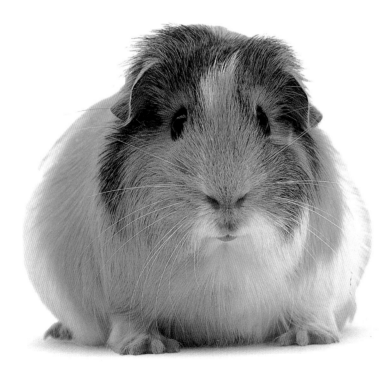

Cyn iddi gael y rhai bach, mae angen gadael llonydd i'r fam, a rhaid ei thrin yn ofalus iawn.

Mae mochyn cwta'n
cael tua thri o rai bach.
Mae hi'n eu llyfu nhw'n
lân cyn gynted ag
y maen nhw'n
cael eu geni.

Bydd angen mymryn o fara
wedi'i wlychu mewn llaeth
ar fochyn cwta
beichiog, yn
ogystal â'r bwyd
arferol.

Mae moch cwta bach yn cael eu geni gyda'u ffwr i gyd.

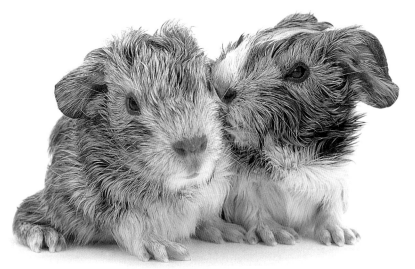

Mae mochyn cwta newydd ei eni'n edrych yn debyg i'w fam. Mae ei lygaid wedi agor ac mae ei ddannedd i gyd ganddo.

Mae moch cwta bach yn sugno nes eu bod tua thair wythnos oed. Maen nhw hefyd yn dechrau bwyta bwyd solet ar ôl diwrnod neu ddau.

Mae moch cwta newydd eu geni'n yfed llaeth eu mam yn syth. Sugno yw'r enw ar hyn.

Pan fydd moch cwta yn wythnos oed, maen nhw'n gallu symud o gwmpas yn eithaf cyflym.

Mae'r mochyn cwta bach yma'n dair wythnos oed. Bydd yn ddigon hen i adael ei fam pan fydd yn bum wythnos oed.

Mae angen cwt cynnes ar dy fochyn cwta i fyw ynddo.

Dylai fod modd i ti edrych i mewn i un rhan o'r cwt, ond dylai'r rhan arall fod ynghau er mwyn i'r mochyn cwta gael heddwch i gysgu.

Os yw'r cwt y tu allan, gwna'n siŵr ei fod yn cael cysgod rhag y glaw, y gwynt a'r haul. Ni ddylai ollwng dŵr, a rhaid ei godi oddi ar y ddaear. Rhaid ei roi o dan do pan fydd y tywydd yn oer.

Rho haen o bapur newydd ar waelod y cwt gyda siafins pren ar ben y papur. Rho ddigonedd o wair yn y man lle mae'n cysgu.

Dylai dy fochyn cwta gael libart fel hwn er mwyn iddo gael lle i redeg. Gwna'n siŵr ei fod yn gryf fel na all mochyn cwta ei droi drosodd.

Bydd angen amser ar dy fochyn cwta i deimlo'n gartrefol.

Pan fyddi di'n dangos ei gartref newydd i'r mochyn cwta, efallai y bydd e'n teimlo'n ofnus. Gad e ar ei ben ei hun am ychydig nes iddo ddod yn gyfarwydd â ti.

Bydd dy fochyn cwta'n hoffi chwilota. Rho deganau iddo chwarae â nhw.

Torra dyllau mewn bocsys er mwyn iddo cael cropian drwyddyn nhw. Cuddia ychydig o'i fwyd mewn potyn blodau mawr.

Mae angen gofalu am y mochyn cwta bob dydd. Os wyt ti'n mynd ar wyliau, gofynna i ffrind ofalu amdano. Pacia bopeth y bydd ei angen arno. Cofia gario dy fochyn cwta mewn cludydd arbennig.

15

Bydd dy fochyn cwta'n mwynhau cael ei godi.

Bydd yn dyner a thawel bob amser wrth drin dy fochyn cwta. Bydd synau uchel a symudiadau sydyn yn codi ofn arno. Siarada'n dawel ag e er mwyn iddo ddod yn gyfarwydd â dy lais.

Os yw'n hapus, efallai y clywi di e'n canu grwndi.

Wrth godi dy fochyn cwta, tynna dy law yn dyner drosto. Penlinia. Rho un llaw o gwmpas ei frest a'r llall o dan ei ben-ôl.

Paid â gwasgu dy fochyn cwta. Os yw e'n gwingo, rho fe i lawr yn syth. Paid â gollwng dy fochyn cwta o uchder – gall gael niwed. Rho fe ar y llawr bob amser.

17

Rho lawer o bethau blasus i'r mochyn cwta i'w bwyta.

Rho ffrwythau a llysiau ffres i'r mochyn cwta i'w bwyta bob dydd. Rho ddigon o lysiau gwyrdd cymysg iddo, ond dim letys. Golcha fwyd ffres yn ofalus bob amser.

Rho fwyd arbennig iddo ddwywaith y dydd.

Bydd ffrwythau a llysiau'n helpu i'w gadw'n iach. Gelli hefyd gasglu planhigion gwyllt iddo, ond bydd rhaid iti wneud yn siŵr pa rai sy'n saff iddo'u bwyta.

Pryna botel ddŵr arbennig i'r mochyn cwta a gwna'n siŵr ei bod hi wedi cael ei llenwi â dŵr ffres bob amser. Gan fod moch cwta'n cnoi eu poteli, bydd angen potel â phig metel arni.

19

Cadwa gwt y mochyn cwta'n lân.

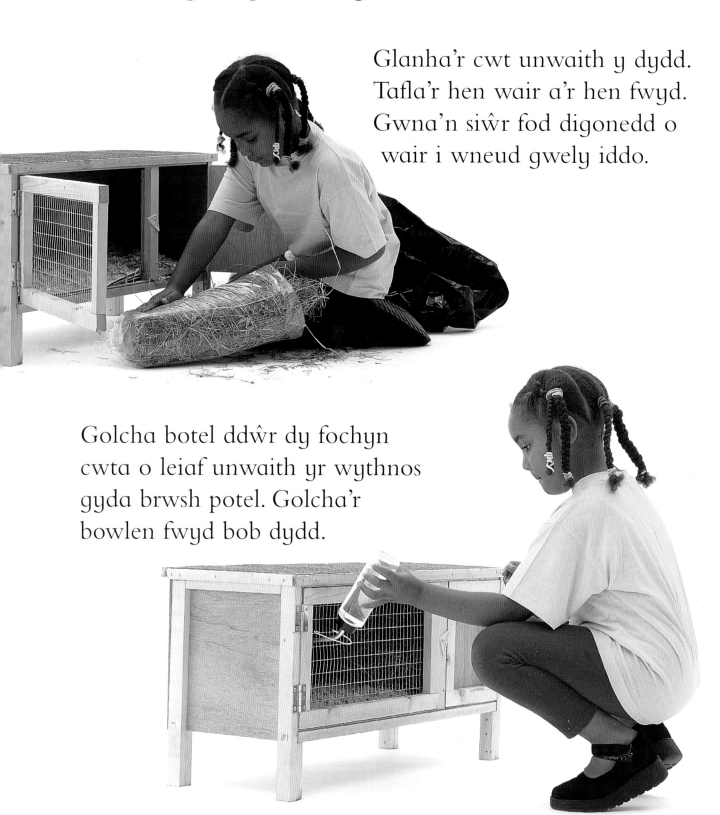

Glanha'r cwt unwaith y dydd.
Tafla'r hen wair a'r hen fwyd.
Gwna'n siŵr fod digonedd o
wair i wneud gwely iddo.

Golcha botel ddŵr dy fochyn
cwta o leiaf unwaith yr wythnos
gyda brwsh potel. Golcha'r
bowlen fwyd bob dydd.

Glanha'r cwt yn dda bob wythnos â diheintydd arbennig o siop anifeiliaid anwes. Rho bapur, siafins pren a gwair glân ynddo. Gwisga fenig rwber, neu golcha dy ddwylo ar ôl gwneud y gwaith.

Mae angen sgwrio'r cwt yn amlach pan fydd y tywydd yn boeth. Sycha fe'n ofalus cyn rhoi'r gwair gwely newydd yn ei le.

Fe gei di hwyl yn gofalu am dy fochyn cwta.

Brwsia gôt dy fochyn cwta'n ofalus gyda brwsh meddal y ffordd mae'r blew yn tyfu. Os oes blew hir neu flew garw gan dy fochyn cwta, brwsia fe bob dydd gyda brwsh caled.

Mae moch cwta sydd â blew byr yn llyfu eu hunain yn lân, ond maen nhw'n dal i hoffi cael eu brwsio.

Pryna flocyn mwynau i dy fochyn cwta. Mae mwynau yn helpu i'w gadw'n iach.

Mae gan fochyn cwta iach, sy'n cael ei fwydo'n dda, ffwr fel sidan sy'n arogli'n lân, llygaid disglair a chlustiau a thrwyn glân.

Efallai bydd rhaid i'r mochyn cwta fynd i weld y milfeddyg.

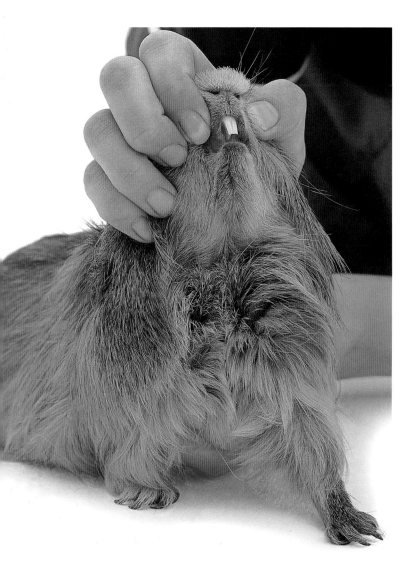

Bydd y milfeddyg yn gallu ateb unrhyw gwestiynau am iechyd dy fochyn cwta. Os bydd yn sâl, efallai bydd y milfeddyg yn rhoi moddion iddo. Bydd yn edrych ar ei ddannedd i wneud yn siŵr nad ydyn nhw'n rhy hir.

Rho ddarn o bren i'r mochyn cwta ei gnoi. Bydd hyn yn help i gadw'i ddannedd blaen yn finiog a ddim yn rhy hir.

Os yw crafangau
dy fochyn cwta'n
tyfu'n rhy hir, gall
y milfeddyg eu
torri nhw i ti.

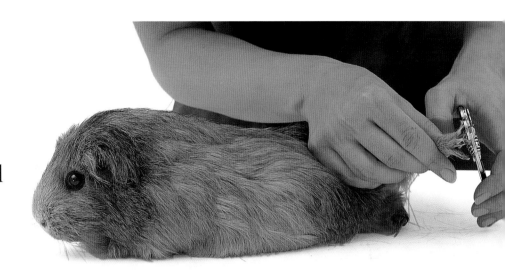

Edrycha ar ffwr dy anifail
anwes i wneud yn siŵr nad
oes trychfilod bach ynddo.
Os oes rhai yno, pryna
bowdr gan y milfeddyg.
Wrth ddefnyddio'r powdr,
rho dy law dros wyneb
dy fochyn cwta.

Bydd angen ffrind ar dy fochyn cwta.

Nid yw moch cwta yn hoffi byw ar
eu pennau eu hunain. Y ffrind gorau
i'r mochyn cwta yw mochyn cwta
arall. Bydd dau fochyn cwta benyw
a dau wryw o'r un torllwyth yn
ffrindiau da.

Mae cwningod a moch cwta'n ffrindiau da os ydyn nhw'n cwrdd pan fydd y ddau'n ifanc.

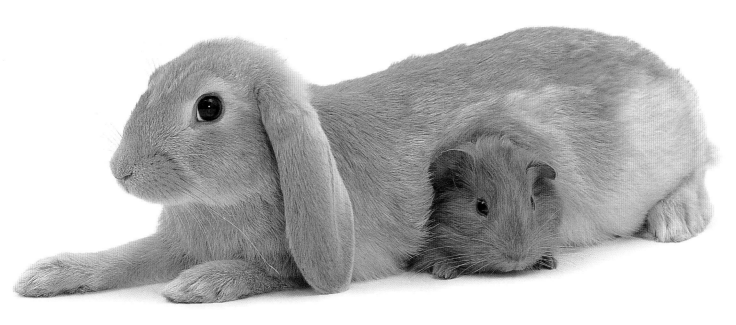

Bydd dy fochyn cwta'n mwynhau cwrdd â dy ffrindiau di. Gwna'n siŵr nad ydyn nhw'n rhy swnllyd. Peidiwch â rhedeg o gwmpas gydag e.

Gall dy fochyn cwta fyw hyd at saith mlynedd.

Wrth i'r mochyn cwta fynd yn hŷn gwna'n siŵr ei fod yn cadw'n gynnes. Edrycha arno bob dydd, yn arbennig ei glustiau, ei lygaid a'i drwyn. Ffonia'r milfeddyg os wyt ti'n poeni am unrhyw beth.

Wrth i'r mochyn cwta fynd yn hŷn bydd yn cysgu mwy ac yn chwarae llai.

Fel arfer mae moch cwta'n byw am ryw bum mlynedd. Yn union fel pobl, maen nhw'n mynd yn hŷn ac yn marw. Efallai y byddi di'n teimlo'n drist pan fydd hyn yn digwydd, ond byddi di'n gallu edrych yn ôl a chofio'r holl hwyl a gefaist ti gyda dy fochyn cwta.

Geiriau i'w cofio

blocyn mwynau
Math arbennig o fwyd i'r mochyn cwta.

cwt
Tŷ pren lle mae anifeiliaid anwes fel moch cwta'n byw.

libart
Math o gwt mawr lle gall moch cwta redeg o gwmpas.

milfeddyg
Meddyg i anifeiliaid.

sugno
Pan fydd mochyn cwta bach yn yfed llaeth y fam, mae e'n sugno.

torllwyth
Nifer o rai bach wedi eu geni yr un pryd. *Litter*.

Mae moch cwta newydd eu geni fel oedolion bach.

Newydd ei eni.

Wythnos oed.

Tair wythnos oed.

Mynegai

Nodiadau i rieni

Mae moch cwta yn anifeiliaid anwes ardderchog a byddan nhw'n rhoi llawer iawn o bleser i chi a'ch teulu. Ond mae cadw unrhyw anifail yn gyfrifoldeb mawr. Os ydych chi'n penderfynu prynu moch cwta i'ch plentyn, bydd angen i chi wneud yn siŵr fod yr anifail yn iach, yn hapus ac yn ddiogel. Byddwch hefyd yn gorfod gofalu amdano os yw e'n sâl. Os yw'ch plentyn o dan bum mlwydd oed, bydd angen i chi ei oruchwylio tra bydd yn gofalu am y mochyn cwta. Eich cyfrifoldeb chi fydd gwneud yn siŵr nad yw eich plentyn yn gwneud niwed i'r moch cwta a'i fod yn dysgu eu trin yn gywir.

Dyma rai pwyntiau eraill i'w hystyried cyn ichi benderfynu bod yn berchen ar fochyn cwta:

- A oes gennych chi rywle cysgodol a heb fod yn llygad yr haul i gadw eich mochyn cwta?

- Gall moch cwta fyw am 7 mlynedd. Efallai bydd rhaid ichi dalu biliau milfeddygon os ydyn nhw'n sâl.

- ydych chi'n mynd ar wyliau, rhaid ichi wneud yn siŵr bod rhywun ar gael i ofalu am eich mochyn cwta.

- Oes anifeiliaid anwes eraill gyda chi? Fydd y mochyn cwta'n ffrindiau â nhw? Fel arfer mae cathod a chŵn yn codi ofn ar foch cwta. Cadwch nhw ar wahân.

- Peidiwch byth â chadw mochyn cwta ar ei ben ei hun. Peidiwch â chadw rhai gwryw a benyw gyda'i gilydd rhag i chi gael llawer o rai bach di-angen. Ond fe allwch gadw rhai gwryw a benyw o'r un torllwyth gyda'i gilydd.

- Ni ddylai moch cwta sy'n cael eu bwydo ar y bwyd cyflawn diweddaraf gael ychwanegion mwynau oni bai fod milfeddyg yn dweud wrthych am wneud.

Cyflwyniad i ddarllenwyr ifainc yw'r llyfr hwn yn bennaf. Os oes gennych unrhyw ymholiadau manwl ynglŷn â sut i ofalu am eich mochyn cwta, gallwch gysylltu â'r PDSA (*People's Dispensary for Sick Animals*) yn Whitechapel Way, Priorslee, Telford, Sir Amwythig/ Shropshire TF2 9PQ.
Rhif ffôn: 01952 290999.